关于作者

对孩子来说，童话是一个美好的世界。

热爱童话、经常阅读童话的孩子，会汲取童话世界里美好的东西，永远拥有一颗追求真、善、美的心，变得更加友善和诚信。在全世界范围内，最经典、最被人称赞的童话故事，当属流传了几百年的《格林童话》和《安徒生童话》。

本套书共30册，由十几位意大利知名儿童作家执笔，改编了格林兄弟和安徒生所著的、流传最广的经典童话，以及伊索寓言、英国民间故事等人类文学史上的精华作品。语言风格幽默、温暖，插图风格童趣、新奇，更适合学龄前的孩子阅读。

希望孩子们带着微笑和温柔的情感，在生活中学会爱、敢于爱，将善良、勇敢的童话精神永远传承。

关于绘者

意大利版《哈利·波特》绘者赛琳娜·瑞格里媞（Serena Riglietti）等十几位欧洲著名插画家为孩子们精心打造的这套绘本，曾获得"意大利博洛尼亚国际儿童书展插画奖"。画家们用自己非凡的绘画技巧、极富表现力的画风，为孩子们描绘了一个虚幻的童话王国。这些美丽的图画将经典童话的内涵和诗意表达得淋漓尽致，将影响孩子一生的审美和品味。

关于主编

彭懿，教育学硕士，文学博士，儿童文学作家及研究者。先后毕业于复旦大学、日本东京学艺大学及上海师范大学，现任职于浙江师范大学儿童文化研究院。代表作品有《西方现代幻想文学论》《世界幻想儿童文学导论》等，曾获得首届"中国出版政府奖""冰心儿童图书奖""陈伯吹儿童文学奖"等。彭懿老师以自己的经历和智慧，为中国的孩子们翻译了几百本优秀的图画书，他的作品幽默、温暖、充满幻想，曾获得"亚太地区出版者协会翻译奖"。孩子们可以在彭懿老师的带领下，领略世界经典童话的不同风景，感受童话对心灵的启迪和安慰。

百年童话绘本·典藏版　第3辑

灰姑娘

Cinderella

彭懿／主编

［德］格林兄弟／原著

［意］玛鲁娜·贾科梅蒂／改编

［意］玛鲁娜·贾科梅蒂／绘

苏昭蓉／译

北京联合出版公司
Beijing United Publishing Co.,Ltd.

很久很久以前，村里住着一个美丽的女孩，她长着碧绿色的眼睛和金黄色的头发，大家都很喜欢她。

女孩的爸爸很疼爱她，给她养了一只胖胖的猫。女孩经常抱着猫一起睡觉，她们俩是最要好的朋友。

　　女孩的妈妈很早就死了。爸爸最近新娶了一个太太，新妈妈还带来了两个姐姐。

　　继母和两个姐姐长得都不好看，她们很妒忌女孩的美貌，于是命令她做家里所有的粗活。

女孩日日夜夜不停地洗衣服、打扫、提水、拖地，忙个不停。

她穿着沉重的木鞋，每走一步就发出咔咔的声音。

这里要清扫，那里也要清扫，女孩累得脚都肿了，美丽的彩色袜子也被磨破、穿洞了，可是继母和姐姐们还是不让她休息。

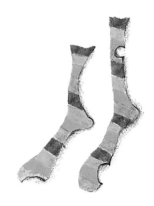

结束了一天的工作，女孩却只能躺在火炉旁的地板上睡觉。虽然还算温暖，但是小火星却常常跳出来，把她的衣服烧出小洞，还熏黑了她的脸。

　　姐姐们因此常常嘲笑她："你的裙子上都是补丁，你的脸黑得像木炭，从现在起，我们要叫你灰姑娘！"

有一天，喇叭声响遍了大街小巷，国王的使者来到村庄，公布了一个重大消息：国王今晚要为王子找一个新娘，所以安排了宫廷舞会，邀请全国所有年轻美丽的女孩参加。

"来吧，大家都来吧！来参加皇家舞会！王子将会和每一位女孩跳舞。女孩们，打扮得漂漂亮亮的来参加吧！舞会将从晚上十点开始，请不要错过！"

灰姑娘的继母和两个姐姐整个下午都在打扮，不停地为舞会试穿礼服。要穿什么样的礼服，才能够吸引王子的注意呢？

姐姐们不停地发号施令："灰姑娘，帮我梳头发！灰姑娘，帮我找袜子！灰姑娘，我的花色紧身衣呢？"可怜的灰姑娘忙着给她们梳头发、熨衣服，直到她们满意为止。

最后，姐姐们都打扮好了，可她们并没有表示感谢，而是匆匆地开门走了。

灰姑娘多么希望也去参加舞会啊！没有新衣服怎么办？聪明的灰姑娘扯下窗帘布，用窗帘布缝制了一件漂亮的礼服，剪裁得完美合身。

　　裁呀剪呀，灰姑娘突然停下来，自言自语地说："但我要怎么去舞会呢？没有人能带我去。"说完，她的脸上布满了泪水，可怜的灰姑娘哭着哭着就睡着了。

在梦中，灰姑娘来到了舞会，听到了音乐，看到了灯光，还看到了很多帅气的男士和美丽的女士。

突然，白色的光芒一闪，一位小仙女出现了，她说：

"别担心，灰姑娘，让我来帮助你实现愿望。"

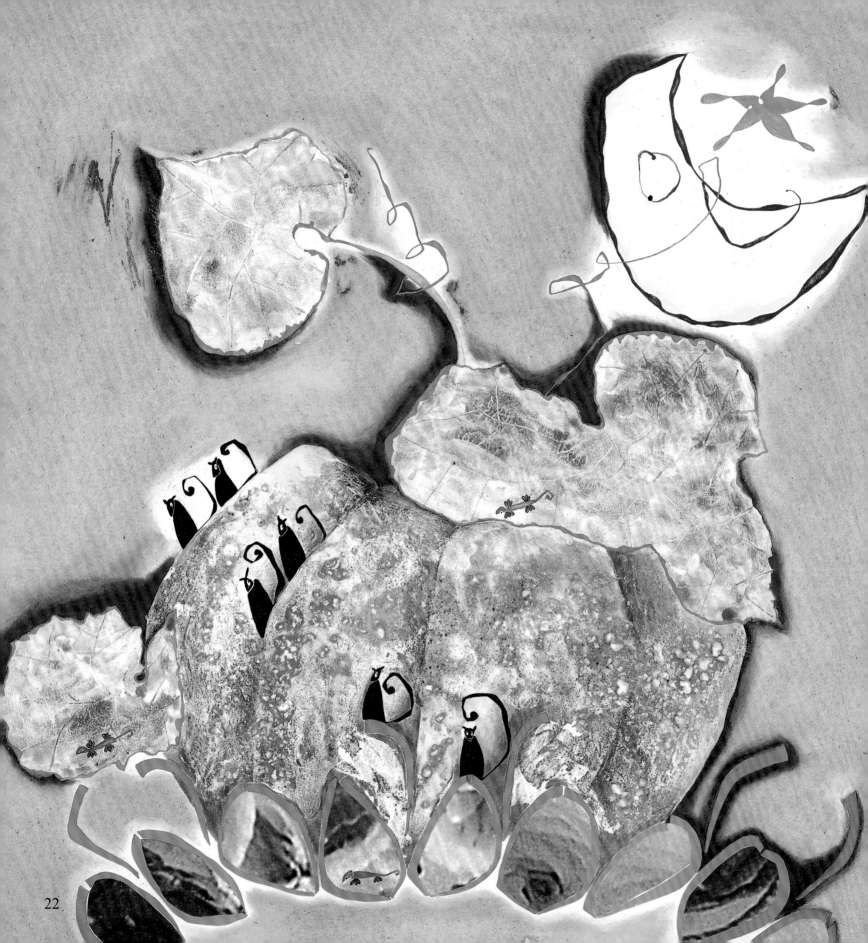

灰姑娘问："小仙女啊，舞会马上就要开始了，你真的能帮助我吗？"

　　小仙女说："当然可以，但是我们要快一点儿。首先，你必须从花园里摘一个南瓜给我，还要找来一只青蛙和一些小蜥蜴。"

　　然后，小仙女转身对灰姑娘的胖胖猫说："还有你，小胖猫，带六只小老鼠来给我。"

　　灰姑娘和胖胖猫好不容易才收集到南瓜、青蛙、蜥蜴和老鼠，只见小仙女挥了挥她的仙女棒，南瓜马上变成了一辆金色的马车，青蛙变成了车夫，蜥蜴变成了仆人，六只老鼠则变成了六匹白马！

　　然后，小仙女仔细地看了看灰姑娘用窗帘布做成的衣服，又举起仙女棒一挥，那件衣服立刻变成了世界上最漂亮的礼服！

小仙女对灰姑娘说:"现在可以出发了,你将是舞会上最迷人的姑娘,每个人都会称赞你,你会成为舞会的焦点。"

"但是,你要记住一件事情,我的魔法只能维持到午夜,你必须在晚上十二点之前离开皇宫,否则一切都会变回原形。"

灰姑娘向小仙女道谢,然后坐上马车,驶向城堡。

灰姑娘到达皇宫时，舞会已经开始了。城堡中的几百个房间都点上了蜡烛，身穿礼服的女士们和男士们正在翩翩起舞。

　　灰姑娘进入大厅时，每个人都停止了动作，看着她，惊叹于她那不可思议的美貌和优雅的举止。

　　王子邀请灰姑娘和他共舞，两人手牵手穿梭在舞池里。那一刻，灰姑娘的世界是多么美好啊！

哦，糟了！时钟敲打了十二下！灰姑娘想起了小仙女的警告："你必须在午夜之前回到家！"灰姑娘转身跑出大厅，因为太着急，一只水晶鞋掉在地上也来不及捡。她坐上马车，催促着："快！赶快回家！"她得在马车变回南瓜之前回到家才行。

灰姑娘离开以后，王子到处找她，但是只找到了一只水晶鞋。

王子说："她是我梦想中的女孩，我一定要找到她。"王子想娶灰姑娘为妻，他命令守卫们在全国到处寻找，一定要找到这个姑娘。

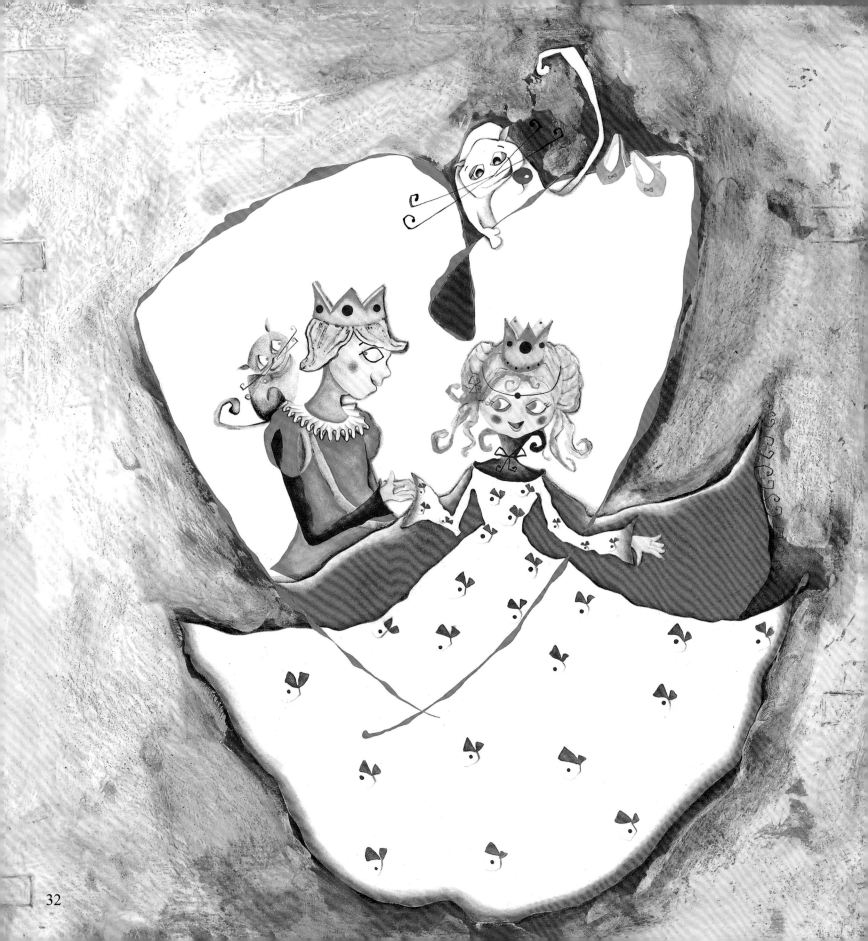

第二天，守卫们带着水晶鞋来到村里，宣布说："谁能穿得上这只鞋子，谁就可以做王子的新娘！"全村的姑娘都来试穿，但不是长了就是短了，没有人正好合脚。

　　那时，灰姑娘正在做家务，但是守卫对她说："你一定要试穿，这是王子的命令。"

　　灰姑娘的脚完美地穿进了鞋子里，不长也不短！在场的人大喊道："就是她！就是她！"

　　王子在城堡里迎接灰姑娘的到来，他牵着灰姑娘的手说："我再也不会让你离开了。"

　　从此，他们过上了快乐幸福的生活。

图书在版编目（CIP）数据

灰姑娘 /（德）格林兄弟原著；苏昭蓉译 . — 北京：北京联合出版公司 , 2016.6
（2017.1 重印）
（百年童话绘本：典藏版 / 彭懿主编 . 第 3 辑）
ISBN 978-7-5502-7814-1

Ⅰ . ①灰… Ⅱ . ①格… ②苏… Ⅲ . ①童话 – 作品集 – 德国 – 近代 Ⅳ . ① I516.88

中国版本图书馆 CIP 数据核字 (2016) 第 122934 号

企鵝圖書有限公司
Ta Chien Publishing Co., Ltd.

北京市版权局著作权合同登记号：图字 01-2016-5061

灰姑娘

原　　著：[德] 格林兄弟
改　　编：[意] 玛鲁娜·贾科梅蒂　　　　主　　编：彭　懿
绘　　者：[意] 玛鲁娜·贾科梅蒂　　　　责任编辑：崔保华
译　　者：苏昭蓉　　　　　　　　　　　总 策 划：张荣梅
装帧设计：伦洋设计　　　　　　　　　　特约策划：王璐璐

北京联合出版公司出版
（北京市西城区德外大街 83 号楼 9 层　　100088）
天津银博印刷集团有限公司印刷　　新华书店经销
字数 119 千字　　787 毫米 × 1092 毫米　　1/12　　18 印张
2016 年 8 月第 1 版　　2017 年 1 月第 3 次印刷
ISBN 978-7-5502-7814-1
定价：88.80 元（全 6 册）